FURTHER POEMS
SCOTS AND ENGLISH

The Publishers have also issued by the same Author:
Poems, Scots and English.

And the following One-act Plays:

The Spaewife.
In the Spring o' the Year.
Go to Jericho.
Auld Robin Gray.
Many Happy Returns.

The poems in this volume, mostly first printed in the columns of the *Daily Record*, are those written subsequent to the publication of *Poems, Scots and English.* Three poems omitted from that collected edition are now included.

Further Poems

SCOTS AND ENGLISH

By

W. D. COCKER

GLASGOW

BROWN, SON & FERGUSON, LTD.

52-58 DARNLEY STREET

Reprinted - 1948

Made and Printed in Great Britain by
Brown, Son & Ferguson, Ltd , Glasgow

TO MY WIFE

FOREWORD

SINCE the Great War there has been a revival of the "braid Scots," that kind, racy and couthy tongue that never fails to appeal to the heart and passions of those born north of the Tweed.

The output of Scots poetry has been outstanding, and among the many writers none takes a higher or more honourable place than W. D. Cocker.

In 1932 a delightful volume was issued containing all his previous poetical work with additional new poems, which at once captivated the general public. He now comes forward with another charming publication, "Further Poems, Scots and English," which shows clearly that Scots, when dealt with by a master's hand, is as expressive as ever.

While we appreciate more and more the wonderful craftsmanship of our National Bard, Burns, let us not be unmindful of the poets of the present day who carry on his great tradition.

This little volume of humour and pathos, free from all literary artifice, will help to dispel the ridiculous notion that our Scots tongue is vulgar, and should encourage us to dibble a guid Scots word into our daily conversation.

NINIAN MacWHANNELL.
President,
Burns Federation

CONTENTS

CONTENTS

POEMS IN ENGLISH

FURTHER POEMS

WEE FREENLY DOUG

Wee freenly doug that rins aroon,
What cantrip's this ? Get doon ! Get doon !
I'm no yer maister. Hoots! gang hame !
I dinna ken ye, what's yer name ?
I like the way ye cock yer lug,
Wee freenly doug.

I've clapped yer heid, noo rin awa'.
What's that ? Ye want to gie a paw !
Ay, dougs an' men, ma canine brither,
Are kind o' sib to ane anither,
Noo dinna bark, ye'll fricht that speug,
Ye randy doug.

Keep aff ma knees, ye daft wee loon,
Ye'll fyle ma claes! Keep doon ! keep doon !
Biscuits ? I've nane. I un'erstaun' ;
Ye only want to lick ma haun.'
There, lick awa', I'm no' a fyke,
Wee freenly tyke.

Ye'll wag yer tail aff wi' guid-natur'.
Puir thing, ye're no' a bad wee cratur'.
Did ye jalouse ma he'rt was wae,
An' did ye mean to mak' me gay?
Ay! glower at me, an' cock yer lug,
Wee freenly doug!

JONAH

LANG syne a ship ance sailed the seas,
An' skelped alang afore the breeze.
The prophet Jonah was on board,
Whaur he had gane to jink the Lord,
Wha'd sent him on a journey lang.
He was baith feart an' sweert to gang,
But, faith ! the Lord's no' easy jookit,
An' Jonah for his wrath was bookit.

A furious storm cam' fell an' fast,
The ship fair birled in the blast.
Bang went the sails like paper pokes,
Doon wi' stramash cam' spars an' blocks.
Crack went the masts like twigs o' willow,
Clean ower the deck green rushed the billow.
" Tits ! " said the captain, " what's gaen wrang ?
Here's a bit job will keep us thrang.
A' haun's on deck ! Haud fast the tiller !
Anither sea like that would fill her.
Keep her neb till't ! Sned lowse the graith !
Pit up a prayer, some man o' faith ! "

The crew a' loupit to obey,
An' Jonah was detailed to pray.
(The prophet looked a thowless chiel
Wha could dae nocht but prayin' weel.)
Sae, grippin' fast the airn stanchions,
He manted prayers wi' guilty conscience.
Then did the sea richt gurly rise,
The ship whiles sklimt the very skies,

Dived frae the tap o' towerin' bens,
Deep into fearsome howes o' glens.
Sic waves, sic win', sic wild commotion,
The Lord's fell curse was on the ocean.

The captain said : "Losh ! Jonah mannie,
There's some yin on this brig no' canny."
Puir Jonah boded some dreid fate,
An' cried : "I'll wager it's the mate."
The skipper couldna thole a clype ;
He garred the bo'sun soond his pipe.
The crew, gey dowf, cam' roon' aboot :
"Whase wyte it is we'll sune fin' oot."

An' there on that unchancy brig
He coonted them like weans at tig :
"A-zeenty-teenty-figgity-fell."
When Jonah heard that warlock's spell
The cauld sweet gethered on his broo,
Nae doonricht lee could save him noo.
He cried : "I've sinned against the Lord,
Ye'll ha'e to heeze me clean ower board ! "
They took his word for't, weel content,
Splash, ower his wilkies, in he went.
He sank, he rose wi' feckless splatter,
A deid caulm smoored the angry watter.
The crew keeked ower to watch him sprachle,
A michty whale near haun did wachle.
Soomin' his best, speered pechin' Jonah :
"Hoo faur is't, think ye, to Iona ? "
Sma' hope ! The whale wi' muckle gab
Jist ganted at him an' made grab.

Three days an' nichts in that whale's belly,
A ludgin' dowie, dark an' smelly,
Puir Jonah grat, an' rued his fibs,
An' dirled on the fish's ribs.
But though he was a waefu' chappie
The big fish tae was faur frae happy ;
Frae Jonah's dunts it gat nae ease,
Its wame felt like a bike o' bees.
It groaned like some volcanic mountain,
It spouted heich as ony fountain.
At prophets an' sic like, nae wunner,
It took an everlastin' scunner.
Wi' mony a bock an' mony a hoast
It plowtered roon alang the coast,
Till, dootless at the Lord's command,
It spewed the prophet on dry land.
We're no' tell't whaur it set him doon,
At Gourock, Rothesay or Dunoon,
But aye in future Jonah kent
To gang the errands he was sent.

COCKCROW

Lang afore the mune does fade
Cocks craw lood at Blairnavaid.
Waukrife Coldrach on the hill
Challenges like echo shrill.
Ower the river sleepy Catter
Speers gey grumly : " What's the matter ? "
Frae the sky, as wi' a cloot,
Staurs an' mune are dichtit oot ;
Day is dawin', hark, the warnin' :
" Cock-a-leerie-law! Guid mornin' ! "
Shandon noo an' Craigievern
Tidings o' the mornin' learn.
Prood the news comes frae Drumbeg :
" Hi ! a yerrock's laid an egg ! "
" Naething unco aboot that ! "
Cries a bantam o' Ballat.
Ower the hill the risin' sun
Keeks upon a day begun,
Sweer folk stacher oot o' bed,
Beasts an' buddies maun be fed.
Folk need nae alarum clocks,
" Breakfast time ! " cry a' the cocks.

THE BOGLE O' BLAIR

WHA hasna heard tell o' the bogle o' Blair,
    Whase pliskies an' tirrivees frichtit the ha' ? "
A skraichin' begued at the tap o' the stair,
    An' a rappin' an' chappin' was heard on the wa'.

The maids in the attics cam' skellochin' doon—
    Whilk garred the guidman skail the feck o' his
        dram—
The laird gat his gun an' gaed cannily roon,
    While his leddy, gey feckless, gaed aff in a dwam.

Syne little was seen o't, though muckle was heard,
    The skirls o' the bogle garred a'body grue,
The chappin' an' flappin' dumfounert the laird,
    Wha swore he saw something as big as a coo.

He up wi' his gun, an' let blatter for luck,
    An' something cam' doon wi' a dunt an' a clash ;
But 'twas only his gutcher's braw pictur' he struck,
    An' the bogle's lood lauch rase abune the stramash.

It haunted the hoose for a week ilka nicht,
    An' e'en in braid daylicht it boded folk herm ;
The dairymaid coupit the kirn in her fricht,
    An' vowed she would flit an' no' bide for the term.

Sic ongauns would mak' e'en the bauldest folk
        feared,
    The laird took the bogle gey sairly to he'rt—
Gin ane o' his forebears was dreein' his weird,
    He wished he would dree it in some ither airt.

Ae day in the lum sic a scartin' was heard,
    An' doon cam' a hoolet as black as a craw,
Some said 'twas a deevil, some said 'twas a bird,
    But a' thocht its neck nane the waur o' a thraw.

An' aye sin' that day ne'er a bogle's been seen,
    For that was the end o' the eldritch affair ;
But, och ! whatna clash in the country there's been,
    Wha hasna heard tell o' the bogle o' Blair ?

GUID PEASE-BROSE

Michty ! whatna dainty bairn,
   Turnin' up your nose
At fine, auld-farrant, halesome fare
   Like guid pease-brose !

Granny kens what's guid for ye,
   What dae ye suppose
Granny supped when she was wee
   But guid pease-brose ?

Canna thole the smell o' them,
   Sic a stawsome dose !
Havers ! whatna thing to say
   O' guid pease-brose !

Wha will grow to muckle men ?
   Shairly only those
Wha mak' their supper ilka nicht
   On guid pease-brose.

Wooden cogs an' horn-spunes,
   Scotland's story shows
Mony a clever chiel's been reared
   On guid pease-brose.

Juist a wee tate, come awa',
   That's richt, doon it goes.
Granny's bairn is daein' fine
   On guid pease-brose.

THE RUIN

The licht in the winnock blinks bonnily yet,
    I weel kent its beacon lang syne ;
It brings to my he'rt but a stoun o' regret
    For the hame that nae langer is mine.

The hoose on the muirland is roofless an' bare,
    An' tume are baith bothy an' byre ;
I ken that the licht that blinks bonnily there
    Is the lowe o' a gangerel's fire.

The docken an' nettle grow thick 'mang the wa's,
    The moss on the doorstep is green ;
The win' through an auld skruntit aipple-tree blaws
    Whaur the bonnie wee gairden has been.

Oh, gaun-aboot buddie, gey soond may ye sleep,
    It's little ye ken or ye care,
The muirland's gien ower to the deer an' the sheep,
    But the ghaists o' my kindred walk there.

BERNARD SHAW ENTERS HEAVEN

Guid sakes ! Wha's this but Bernard Shaw ?
Amang the saints! Gosh! that bates a'!
Wha let ye in ? But, come awa',
    Ye're welcome, Barney!
Yer pliskies ne'er gi'ed me a staw,
    An' that's nae blarney.

But some folk's notions maun get shocks
To see ye here as heich's John Knox;
Faith! ye're a Shavian paradox:
    The saintly sinner;
Ye, that nae kirk-gaun orthodox
    Backed for a winner.

The Unco Guid, that aft would dunner
Their dogmas in oor lugs, may wunner;
Puir saints, they look at ye wi' scunner:
    Their glower maist freezes;
They thocht that like a clap o' thunner
    Ye'd breenge to bleezes.

Ye ken ye brocht it on yersel'.
Ye wrote yon randy play on hell.
Ye never, as ye say, can tell—
    Folk tak' sic notions—
But Auld Nick's faur ower terrible
    To play galoshans.

Come awa' ben, an' sit ye doon,
Try on yer bonnie martyr's croon.
Yer robe o' white, this lang nicht-goon;
    Noo a's in order.
Ye've chawed the deil: ye're safe an' soun'
    Ower heaven's border.

An' noo ye're busked in saintly dress,
"Back to Methuselah," nae less.
Ye aye were saint at he'rt, confess,
      Spite o' invective;
It's easier to ban than bless,
      An' mair effective.

Weel, here's yer harp; but bide a wee
Afore ye jine the psalmody.
Jist tak' a dauner roon' wi' me;
      Heaven's bonnie, Barney.
Yon jasper wa's, yon crystal sea,
      Fair bates Killarney.

What's that? Wheesht, man, for heaven's sake!
Ye canna see the brunstane lake,
That's no' up here. A queer mistake?
      Hoots, toots! Think shame!
Heaven's happy; hell's whaur sinners quake.
      They're no' the same.

Yon bairns' heids wi' flappin' wings
Are cherubim; the welkin' rings,
Continually they cry, puir things;
      But a' for glory.
There's prophet Jonah: still he swings
      The auld, auld story.

Elijah daurna near him bide.
There's Abraham, wi' bosom wide.
The Twelve Apostles, side by side,
      Minus Iscariot.
What's that ye say? Ye'd like to ride
      In fiery chariot!

Heaven's no' the place for daft-like jokes,
Ye maun behave like ither folks
An' say fareweel to paradox.
      The holy chiels
Will let ye pit nae sceptic spokes
      In Faith's auld wheels.

But, Barney lad, ye're lookin' wae ;
The thocht o' Everlastin' Day
'Mang sic dowf company as thae
      Yer gorge fair turns;
But see wha comes in bricht array:
      'Tis Robert Burns.

Ay, Burns is here, I'm blyth to tell,
Though some jalouse he jinkit hell
Gey narrowly, for whiles he fell,
      Mair daft than wicked;
Yet lo'ed his neebour as himsel'—
      An' that's the ticket!

The gowden gates o' heaven will slam
Against hypocrisy an' sham,
But Truth an' Love break through ram-stam ;
      Nae doot aboot it.
(Some feckless folk—no' worth a damn—
      Win through wi'oot it.)

Losh! Barney, I maun ha'e my joke,
The saints an' you may ha'e nae troke,
But mankind fashions mony a cloak;
      There's routh o' room in
This great an' glorious heaven for folk
      That are but human.

To bear the burdens o' anither,
To feel that ilka man's a brither:
That's true religion. Dinna swither
      Ower bigot's screeds ;
Mankind may dogmatise an' blether,
      Heaven hauds a' creeds.

THE RESPITE

I LAY in fell sickness at deid o' the nicht,
Hauf dreamin', hauf wauken, an' fain for the licht.
I slipped frae my bed in a stoun o' my pain,
An' walked doon a deep, darksome valley my lane.
A road a' maun trevel, baith willin' an' laith;
An' there I fell in wi' the chiel they ca' Daith.
He stood as though mawin', o' reapers the king,
The blade o' his scythe was set back for the swing.
But as I drew near him he swithered a wee,
An' seemed to misdoot gin his tryst was wi' me.
I glowered in his een, but he steppit aside,
He shouthered his scythe, an' he said, " Ye can
    bide."
An' I'm back in my bed, but o' this I am shair,
I've met him, I ken him, I fear him nae mair.

WOMAN'S WILES

It's ill when ye ettle to wed,
  For man should be aye the pursuer;
But a lassie that's blate when a's said,
  May wait geyan lang for a wooer.
Ye'll ne'er tak' a braw laddie's e'e
  By thowlessly, fecklessly wishin':
There's plenty guid fish in the sea,
  But weemen maun een dae the fishin'.

Sae, lassies, ye maunna be blate,
  But look for a big fish, an' dangle
Your charms in his sicht for a bait,
  Till his switherin' he'rt's in a tangle.
Then nab him—he canna refuse:
  But when ye hae gained your ambition
Ne'er let the puir gomeral jalouse
  That it wasna himsel' did the fishin'.

SAMSON AND DELILAH

Samson, muckle Samson, was a sodger o' lang syne,
   A michty man o' valour, but a gey camsteerie
     buddie ;
He focht alane for Israel against the Philistine,
   An' fairly gied them laldie wi' the jaw-bane o' a
     cuddie.

For Samson was as strang a man's the warld had
   ever kent ;
   The marrow o' an elephant, his strength was in
     his pow ;
His touzled hair was aye unshorn, his mither ne'er
   had sent
   Her laddie to the barber's shop in Gaza for a cowe.

What ailed him at the Philistines we canna tell ava ;
   Nae doot the scribes an' Pharisees had egged him
     on to strife ;
Or some bit bletherin' prophet had exhorted him
   an' a',
   An' tell't him in Jehovah's name to spare nae
     heathen life.

Hooe'er it be, he couldna thole a Canaanitish man,
   He slew an' slew, an' took nae rue, an' yet it cam'
     to pass
That though he smote them hip an' thigh frae Edom
   unto Dan,
   What brocht aboot his dooncome was a bonnie
     heathen lass.

Oh, weary fa' the waefu' day Delilah cam' his gate !
　　For Samson was a sodger, an' sae deil-may-care
　　　　an' free,
An' this hellicate young hizzie seemed to ding the
　　　　bell o' Fate
　　When she cast the glamour ower him wi' her black
　　　　bewitchin' e'e.

Sae Samson lo'ed Delilah an' was happy for a while,
　　Her kisses were a rapture, her caresses garred him
　　　　swoon ;
An' as she kaimed his fankled hair she gied a cunnin'
　　　　smile,
　　But her he'rt was black within her for her country-
　　　　men brocht doon.

An' aye she speered the michty man the secret o' his
　　　　strength,
　　He pit her aff wi' nonsense whiles but still she
　　　　threeped the mair,
Sne said, " Ye dinna lo'e me," an' she grat until at
　　　　length,
　　Daft Samson tell't Delilah that his strength was in
　　　　his hair.

She clypit to the Philistines, wha gethered roon the
　　　　hoose,
　　Ochone ! for Samson sleepin' in her arms as
　　　　soond's the deid ;
She had as muckle rue for him as baudrons for a
　　　　moose,
　　An' as he slept the touzled locks were clippit frae
　　　　his heid.

" Noo rouse ye, Samson, rouse ye," cried Delilah to
her lad,
    " The Philistines are on ye, man, the Philistines
    are here ! "
Sae Samson rubbed his bleary e'en, an' said, " They
    maun be mad !
    I'll gang an' kill a wheen o' them as usual, my
    dear."

Ah ! little did the hero ken his strength had dwined
    awa',
    His glory had departed, he maun dree the weird
    o' sin,
He fell upon his faemen, but he gat his paiks an' a' ;
    They cruelly pit oot his e'en, an' led him captive
    blin'.

Oh, wha could live in slavery that ance stravaiged
    sae free,
    An' wha could live in blackest mirk that's seen
    the sunset braw ?
Puir Samson felt sae thowless that he wished that he
    micht dee ;
    An' the thocht o' fause Delilah was mair ill to
    thole than a'.

Ae day the heathen gentry o' the Canaanitish court
    Had gethered in their thoosans in their muckle
    castle ha',
An' tied Samson to a pillar to mak' mock o' him for
    sport,
    But Samson in his blin'ness couldna see the joke
    ava.

Then he prayed, " O, Lord o' Israel, I dinna want
  my sicht,
  But gie me back my strength again, the Philis-
  tines to fash ! "
Then he gripped the muckle pillars, an' he pu'ed
  wi' a' his micht,
  An' doon in stour an' thunner cam' the castle in
  stramash.

Sae Samson an' that mockin' crood to sudden daith
  were hurled,
  When the hale hypothic coupit like a cairn abune
  their heids.
There's a moral to this story, it's the same for a' the
  world,
  But we'll bring it hame to Scotland, an' it's thus
  the lesson reads :—

Ne'er lippen to a licht-o'-love the secrets o' your
  he'rt ;
  An' hae nae troke wi' fremit jauds that bide ayont
  Dumfries,
Ye needna gang stravaigin' efter strife in ilka airt,
  But woo an' wed a leal Scots lass, an' bide at hame
  in peace.

SMEDDUM

This life's a sair trauchle, an' whiles we're forfochen,
  Gey dreich is the darg, an' gey sair are oor banes ;
We tak' sic a scunner at plain brose an' brochan,
  We're greetin' an' girnin' like fractious wee weans.

But gi'e me the lad wi' the he'rt o' a hero,
  That dool canna daunton, an' Fate canna fell ;
He's dour an' he's thrawn when his Fortune's at zero,
  He'll lippen to nane, but he'll fend for himsel'.

For smeddum's the thing that'll win ye the battle,
  Though Fate be maist fashious, aye steer for your
    goal.
Mankind are no' bad ; though they're gey kittle
  cattle,
  They'll aye ha'e respec' for the lad that can thole.

"THE CHITTERIN'-BITE"

When ye gang for a jaunt doon the watter,
  The day may be dry or be drookin'.
But for yae thing the weather's nae matter,
  Ye aye can ha'e pleesure in dookin'.
When ye're clad in the scrimpest wee cloot,
  The rain is an added delight;
But, mind ye, whene'er ye come oot,
  An' tak' a guid chitterin'-bite.

For fear ye'll be blae wi' the cauld,
  An' yer teeth start to rattle an' chap,
It's a maxim for young or for auld:—
  Tak' a cookie, a bannock or bap.
Ye'll be dwaibly an' thowless a' day,
  Peelywally, wi' lips geyan white,
An' yer face will be gash-like an' grey
  Gin ye mind na yer chitterin'-bite.

Ower venturesome chiels, ye'll agree,
  Dinna ken the rale pleesure o' dookin';
They'll dive, or soom miles oot to sea,
  Gin they think a' the lassies are lookin'.
But the strength o' the tide is a riddle,
  An' divin' may ding oot yer hairns;
Wade cannily in to yer middle,
  Keep bobbin' aboot wi' the bairns.

Saut watter's a health-givin' boon,
  A tonic that a' folk require,
It's the same at the Lairgs an' Dunoon,
  As it is roon the Mull o' Kintyre.

Tak' a holiday doon at the coast,
    Plump in whaur the billows invite;
But, gin ye'd keep clear o' the hoast,
    Ye'll remember yer chitterin'-bite.

THE END O' THE TERM

I was milkin' there in the byre as the sun gaed doon ;
He stood fornenst the bothy an' keekit roon.
His ropit kist in the cairt at the yett I saw ;
He cam' to the door an' he shoutit: " I'm awa'."
I rase to my feet, an' I laid my cog aside:
I felt I could greet gin I hadna sae muckle pride.
I tried to say: " Guid-bye, guid luck to ye, Jock."
But words jist stuck in my thrapple an' gar'd me
    choke.
He turned to gang, but syne wi' a face like fire,
He was back at my side, an' we stood in the dark o'
    the byre.
His airms were roon me ticht, his kiss on my cheek ;
He said: " Oh, Jess, dear Jess! " but I couldna
    speak.
An' then he was aff, an' I turned wi' a waefu' sigh,
Sat doon on my stool ance mair to milk the kye.
An' I hid my face against the side o' a coo—
He'rts dinna break, or mine were broken noo.

GOLIATH

THE byganes o' history whiles ha'e a lesson
    That folk o' the present wi' profit micht read.
The Philistine treated the Jew like a messan—
    Yet whaur are they noo, a' the Philistine breed ?

Goliath o' Gath was a great muckle giant,
    A hellicate sodger o' masterfu' micht;
When he cam' to the front wi' his challenge defiant
    Auld Israel's clan keepit weel oot o' sicht.

Faith! yon was a flea in the ointment o' Zion,
    Nae Jew that was mensefu' would bide in his path;
A heid like a stirk, an' a roar like a lion,
    An' neives like twa mells had Goliath o' Gath.

" Wha ettles to fecht me ? " the Philistine shoutit,
    " Come oot, an' I'll gi'e him his kail through the
      reek! "
Fornenst the Jews' lines like a wude bull be rowted,
    But the heroes o' Judah had nae spunk to speak.

An' doon in their trenches they cooried an' chittered,
    Or speired gin their neebours would try a bit fling.
" Ye scunnersome nyaffs," cried the giant embittered,
    " Will nane o' ye fecht for the fun o' the thing ? "

" Noo, dinna be blate, or I'll bide here nae langer,"
    He dirled on his shield wi' the shank o' his spear.
" Come oot ! " cried Goliath, maist greetin' wi'
    anger,
    But nane cam' to fecht him. Guidsakes! they
    were sweer.

But somewhaur ahint at the base was a laddie
    Wha kenned the Jew's fears, an' thocht shame
      for their sakes;
Wee Davie, the herd, left the flocks o' his daddy,
    An' swore he would gie the big giant his paiks.

He cam' wi' a sling, an' it wasna a plaything,
    An' doon by the burnie he haltit a wee,
An' he wasna jist getherin' chuckies for naething,
    But walin' the stanes that would gar a man dee.

For giants are michty, but giants are mortal—
    Ha'e smeddum to face them, an' see hoo ye fend;
Gin yer weapon o' war be nae mair than a spurtle,
    It's spunk that will gar ye win through in the end.

An' this Davie kenned. To the front line he hurried,
    An' syne, ower the tap, sling in order, gaed he.
An' ower nae-man's-land like a whittrock he scurried,
    An' speired gin the giant was ready to dee.

The Philistines lauchin' cried: "Look wha defieth
    Oor hero!" Thinks Davie, "Ay, weel may ye
      glower!"
Then whang! went his sling, an' a stane gied
    Goliath
    A dunt on his pow that fair ca'd him clean ower.

"Nae baurley!" cried Davie, "an' noo to mak'
    siccar!"
    He ran to the giant an, cut aff his heid.
The Philistines fled in dismay frae the bicker,
    Gey feart, noo their champion bully was deid.

     *   *   *   *   *

Langsyne 'twas Goliath, an' noo it is Hitler,
  A gey fashious thorn in the flesh o' the Jews.
The problem's the same, but the solvin' o't's kittler—
  Nae Davie's yet come to the fore, I jalouse.

An' slings an' sic weapons are clean oot o' fashion,
  We dinna want Peace to stravaig frae her path.
But arguments canna be settled by Passion,
  Let Reason ding doon this Goliath o' Gath.

THE AULD TINKLER

When the win's are snell, an' the leaves fa' doon,
The gaun-aboot-buddie traiks into toon.
For the days creep in, an' the nichts are cauld,
An' the tinkler kens he is growin' auld,
In summer time he can weel mak' shift
Wi' a heather bed 'neath the staurry lift.
The autumn ca's for a warmer beild—
The lea o' a stack in a stibble field ;
But when cranreuch comes on a nicht o' frost
His love for the open air is lost.
He feels that his bluid rins thin an' cauld—
The auld black sheep is fain for the fauld.
He mak's for the toon, an' faur frae blate,
Ye'll hear him chap at the warkhoose gate.
An' there, wi' never a he'rtenin' dram,
He'll spend his days in a kind o' dwam;
Till a hint o' spring is felt in the air,
An' something rugs in his briest yince mair.
Oh! the glint o' sun on the green hill-side,
An' the lang stravaig through the kintry wide!
Ye may threip or fleech, but it's a' in vain,
He's aff on the ran-dan yince again.

THE TOCHERLESS LASSIE

Her leddyship's dochters to Lunnon hae fared,
They lippen to mither to win them a laird,
In satins an' silks she has buskit them braw;
But the tocherless lassie can lauch at them a'!

Some folk may hae siller that never had sense;
Wha'd mairry a man that's sae wantin' in mense
As to woo a prood hizzie wi' nae looks ava?
The tocherless lassie can lauch at them a' !

I keek in my glass, an' I canna but see
The man will hae better than gowd that gets me—
A cheek like the rose an' a broo like the snaw.
The tocherless lassie can lauch at them a'!

Some tawpies wha ettled to pick an' to choose
Are fain to tak' ony auld breeks, I jalouse ;
But I'll wed a braw wooer or nae man ava,
The tocherless lassie can lauch at them a' !

THE MULE

(A Fable)

A FERMER wi' nae rowth o' siller to spare
Ance brocht hame a mule he had bocht at a fair;
An' no' kennin' muckle o' mules an' their ways
In a park fu' o' thristles he pit it to graze.
The mule, gey affrontit, said: "Deil tak' the
    buddie!
I'll wager my lugs but he thinks I'm a cuddie."

It dwined, an' it wrocht no' as weel as an ass,
Till the fermer took thocht, an' syne pit it to grass,
Wi' a' guid feed o' aits; but he then took the rue
An' yoked it alang wi' a horse to a ploo.
Wi' the crack o' the whup the day's darg to enforce.
Said the mule: "Michty me! Does he think I'm
    a horse?"

It tried a wheen cantrips, an' kicked up a stour.
The beast micht be thrawn, but the maister was dour.
The whup roon its hurdies gey merciless whistles,
An' it daurna gang back to a diet o' thristles.
For the fermer declared, like a reasonin' buddie:
"Ye'll wark like a horse, or ye'll eat like a cuddie!"

THE BAILIE

The Bailie has a chain an' a'
An' roon his neck it dangles braw;
As prood's a bantam noo he'll craw
      An' gang his gate sae gaily.

But, haud yer wheesht! some folk hae seen
The day he wasna worth a preen.
Yet " Cooncillor " he was yestreen,
      An' noo the chiel's a Bailie.

There's some may hint at bribes an' waur,
But, fegs! corrupt him gin ye daur,
He'll fyle his feet in nae sic glaur,
      Gey circumspec' the Bailie.

His righteous glower would fley the French,
An' frae the magisterial bench
He'll gar the hardened sinners blench,
      An' " sixty days " gie daily.

It's folk like him that keep the toon
In times like this frae tum'lin' doon.
As lang's this weary warld gangs roon,
      Lord, gie us aye a Bailie.

THE KIRK SKAILS

A SABBATH peace is on the glen,
　　An' doon the brae the folk come trailin',
Lum-hatted elders, douce-like men,
　　The kirk is skailin'.

The guid wives in their Sunday braws,
　　Taiglin' their men-folks, staun' an' haver;
Gey laith to leave the kirk-yaird wa's
　　They crack an' claver.

An' snod an' tosh the bairns are seen,
　　The lassies prood, an' walkin' primly;
The laddies, a' by-ornar clean,
　　Tholin' it grimly.

The minister, his day's darg ower,
　　Steps blythe to whaur the manse lum's reekin.
Last comes the beadle, wi' a glower,
　　The kirk-door steekin'.

Some auld folk, for their last sleep fain,
　　Amang the heid-stanes still are waitin',
Readin' the names o' freens lang gane,
　　An' meditatin'.

There's puir auld granny hirplin' roon,
　　It's wonderfu' to see her leevin'.
She's eichty-six is Granny Broon,
　　Or eichty-seeven.

She leans upon her dochter's airm
　　Beside the grave that has bereft her;
It's thirty years come Lammas term,
　　Sin' Andra left her.

Her dochter's een are faur awa',
　　She's thinkin' on her ain man Sanders;
He sleeps na here, her sodger braw,
　　But 'yont in Flanders.

STRAVAIGIN'

A THROU'THER bairn, the tapmaist cairn
O' the hills o' hame I'd sclim,
An' staun' an' glower at the bens oot-ower
Till the gloamin' licht grew dim.
   An' I wished to gang stravaigin',
   Stravaigin', stravaigin'
   There's naething like stravaigin'
When soond in win' an' limb.

In manhood's years nae mither's tears
Could gar me bide at hame;
This wanderin' Scot would seek his lot
In airts ayont the faem.
   Sae aff I gaed stravaigin',
   Stravaigin', stravaigin',
   It's fine to gang stravaigin'
To lands ye canna name.

Frae Mangalore to Singapore
I ken ilk kyle an' strand;
I've herded kye on the plains oot-by
Alang the Rio Grande,
   Whaur the river gangs stravaigin',
   Stravaigin', stravaigin',
   Mang a rowth o' green stravaigin'
Through the pleasant prairie land.

I've howked a mine in the Argentine,
An' tholed queer heathen men;
But I've whiles come back for a wee bit crack,
An' a keek at my ain dear glen.

Then aff ance mair stravaigin',
   Stravaigin', stravaigin',
   It's in the bluid stravaigin',
As Scotsmen weel may ken.

I've trevel't faur whaur the Polar staur
Glints bricht on fields o' snaw;
I've made my bunk in a Chinese junk,
An' heard the monsoon blaw;
   For ance ye gang stravaigin',
   Stravaigin', stravaigin',
   Ye'll no' gie ower stravaigin',
Sic glamour's in't an' a'.

An' yet I ken at the hinneren'
I'll win to my rest some day.
They'll lay my banes 'mang the auld grey stanes
In the land whaur my he'rt aye lay;
   An' I'll gang nae mair stravaigin',
   Stravaigin', stravaigin',
   There'll be nae mair stravaigin',
At the fute o' the last, lang brae.

THE SOLILOQUY OF THE LOCH NESS
MONSTER

A MONSTER, fegs! Is't no' a scunner
The way I'm made a nine days' wun'er?
Monster, indeed! Folk glower an' keckle,
I may be jist a wee kenspeckle,
But though mair muckle than I'd wish,
Let me alane, I'm jist a fish.

I ha'e a heid, I ha'e a tail
(Sae has a haddie or a whale),
A queer-like heid, a tail ower lang,
Yet, de'il be in't! I've dune nae wrang.
Sae let me splairge an' plowter on,
There'll aye be ferlies when I'm gone;
An' I jalouse ye yet may find
The wale o' monsters 'mang mankind.

It gars me grue to think what Fate
I'll maybe ha'e to thole ere late;
A cruel heuk, a hawser strang
May drag my corp ashore ere lang.
Then men will sing a lood *Te Deum*,
An' harl me aff to some museum.

Yet though at peace I fain would bide,
I ha'e some spunk o' dacent pride.
My birse gets up wi' dour ill-natur';
Professors say, " There's nae sic cratur' "—
For Science, like a gey wat blanket,
Is wi' us still. But, Guid be thankit!
I'm steerin' yet, an' like to thrive,
Gin folk would let me keep alive.

THE BLACK SHEEP

Bring him hame, he had trevel't faur an' was weary;
  Dinna greet, though the he'rt in your briest be sair.
The road to the kirk-yaird's lang, an' geyan eerie,
  But the jow o' the bell 'll wauken him nae mair.

Let folk clash; be't praise or the warld's scornin',
  We come to a pickle stour at the end o' a'.
Sae bring him back to the glen that he was born in,
  An' the hills that he thocht on aye when faur awa'.

Quate, quate here, frae a' his frailties fended ;
  Hap him doon, the nicht will be lang an' cauld.
Speak nae ill o' the deid when the journey's ended ;
  The wanderin' sheep is gethered noo to the fauld.

BOTHY NICHTS

Oot-bye it is snawin' a snell win' is blawin';
  Steek winnock an' door, set the caunles alicht;
An' wee Geordie Riddle get haud o' yer fiddle—
  Nae lassock keeps tryst in the stack-yaird the nicht.

Though winter be dreary we'll keep our he'rts cheery,
  A splore in the bothy's the blythest o' sport;
We're a' in guid fettle, an' no sweir to ettle
  A sang or a dance or a baur o' some sort.

I'll wadger a shillin' wee Geordie is willin':
  The soun' o' his fiddle gars a' the feet clamp:
Wi' hoochin' an' skirlin' the rafters are dirlin',
  The horse in the stable a' nicher an' stamp.

A wild Reel o' Tulloch gars auld Pate MacCulloch
  Gae caperin' roon to the hauflin' delicht;
Wi' lauchin' an' singin' the bothy is ringin',
  Till spiders drap doon frae the rafters in fricht.

There's folk in the ceety I doot na would peety
  The men on a ferm on a nicht sic as this:
I'll tell them but *yae* thing, we envy them naething
  For losh! whatna hantle o' guid fun they miss.

THE DEIL'S AYE GUID TO HIS AIN

Puir Tam took an unco drappie,
　　He drained his cup to the dregs
An' gaed stacherin' hame gey happy,
　　But he'd lost the poo'er o' his legs,
An' doon he cam' wi' a blatter,
　　But no' on the hard plain-stane:
He cowped in a dub o' watter—
　　The deil's aye guid to his ain.

Tam's wife was a dour auld Tartar,
　　A randy to rage an' flyte,
She'd a face like a Christian martyr
　　The lions were feart to bite;
She took the strunts at puir Tammas
　　An' garred him repent in pain,
Till she dwined an' she dee'd at Lammas—
　　The deil's aye guid to his ain.

Tam grat till his een were bleary,
　　An' swore he would miss her sair,
An' syne, juist to keep him cheerie,
　　Gat fou as a wulk ance mair;
An' to thrawn auld Kate M'Cluckie
　　He speired gin she'd wed again:
But she answered Na, which was lucky—
　　The deil's aye guid to his ain.

THE CREATION

Afore the Almichty took the thing in haun'
    Mirk was the void for space was tume—clean boss.
God was alane in Peace, but, still an' on,
    He felt a driechness whiles, a kind o' loss.

Sae God made heaven an' earth; syne keekin' doon
    He saw the new warld soom, a shapeless dod,
Wi' darkness on the watters a' aroon,
    An' sae: " Let there be licht! " commandit God.

And there was licht—nae peely-wally blink,
    The lift was lit wi' glory frae abune;
The watters on the earth begued to shrink.
    Time made a stert: the first day's darg was dune.

God saw that it was guid, an' ettled yet
    To mak' things perfect, an' for five days mair
The labours o' creation didna quit;
    He made dry land, He made the caller air.

He made the michty ocean row for miles;
    Wi' ilka fish, the haddie an' the whale,
The porpoise, tum'lin' ower its wilkies whiles.
    Forbye the birds wi' feathery wing an' tail.

He made the muckle sun wi' cheerin' ray,
    An' staurs an' mune, as braw but no' sae bricht;
The sun cam' oot to let folk ken the day.
    The mune cam' oot to let folk ken the nicht.

He made the beasts an' ilka creepin' thing,
    The horse, the sheep, the ettercap, the snail,
The loupin' puddock, an' the wasps that sting,
    The bowffin' doug, wi' freenly waggin' tail.

He made the cuddie, an' the couthie kye,
    The strippit zebra, an' the alligator,
An' queer like brutes that rin an' roar oot-bye
    Amang the heichs an' howes o' the equator.

He garred the corn to brierd, the grass to grow,
    Brocht forth the fruits, the grossit an' the grape;
He garred the bonnie burns an' rivers row,
    An' gied the everlasting hills their shape.

An' last o' a' things God created Man,
    An' gied him wife an' weans to mak' him cheery;
But Man's descendants fairly spiled the plan,
    An' turned the bonnie warld gey tapselteerie.

But aiblins, some day, God will tak' a thocht,
    An' like a snuffit caun'le, gar things cease.
Man, an' his wee bit warld will come to nocht;
    An' in the void ance mair there shall be Peace.

AULD BLIN' CHERLIE

CHAPPIN' aye afore ye, wi' yer stauff against the wa',
  Feckless-like an' thowless, in the mornin' early,
Een that seem to glower at me, but canna see ava,
  Auld, blin' Cherlie.

Whiles I maist could greet for ye, thinkin' what ye
      miss,
  Then I mind the Canongate, that needs sun sairly,
Maybe ye jalouse the warld's a brawer place than this,
  Auld, blin' Cherlie.

Sae a warld to ye alane Providence has given,
  A bonnie warld like Paradise whase gates are
      pearly;
Ye ken as little o' the earth as we folk ken o' heaven,
  Auld, blin' Cherlie.

THE SPAEWIFE

Ae nicht in the lown, clear gloamin'
   There chapped at my daddy's door
An auld, grey, gangrel spaewife
   We never had seen afore.
We were a' in the tid for daffin',
   An' cried her ben for a splore.

A lang, queer eldritch body,
   Her een glowered into mine,
An' she said for a siller sixpence
   She could spae me a fortune fine;
Sae I laid my loof in the spaewife's,
   An' I've never had luck sin' syne.

She said there were changes comin',
   A jaunt ower the cauld, saut sea,
Whaur walth an' the wale o' fortune
   Would wait for a lass like me,
An' a braw, brisk lad for a lover,
   A laird o' high degree.

A wheen blate chiels cam' wooin',
   But I gied them the road gey smert,
An' waited lang for the lucky day
   That would gar my trevels stert;
I waited lang wi' a dwinin' hope,
   An' whiles wi' a stoun at my he'rt.

I've trevelled the length o' Rothesay,
   But maistly at hame I bide;
My fortune's never been muckle—
   It maybe'll match my pride,
For I mairried the hirplin' packman
   That's kent through the country wide.

THE DEIL AND LUCKIE MacALPINE

THE deil cam' clinkin' doon the glen
To fash an' daunton the sons o' men.
He was richt in tid for a randy splore,
Sae he chapped at Luckie MacAlpine's door.
He looked like a caird she didna ken,
But the auld guidwife juist cried him ben.
He thocht to gie her an unco fricht:
" Dae ye ken wha steps in-bye the nicht ? "
She shook her heid. " I'm the muckle deil."
The douce auld body said: " Eh, puir chiel! "

Like some prood piper that gets a jag
That tak's the win' frae his well-swall't bag
The deil stood glowerin', an' geyan sweirt
To own to himsel' that she wasna feart.
" Puir chiel! " quo' he. " Faith ! ye are na blate,
Ye peety a gey big potentate.
I'm the Prince o' Hell, yon lowin' pit,
The biggest bleeze that ever was lit."
She answered, never a haet appalled:
" Draw in to the fire, for ye maun be cauld."

Auld Nick was chawed, for when afore
Had his pliskies failed him in sicna splore ?
He raged an' he roared an' he rampit roon,
Till the auld wife said: " Can ye no sit doon ? "
Thinks he to himsel': " It's a doon-come sair,
But I doot I can fley the folk nae mair."
An' doon on a creepie-stool he sat,
Hid his coomy face in his haun's an' grat.
She didna grue at his horns or feet;
She juist said: " Wheesht ye then, dinna greet."

THE TINKLER'S CUDDIE

The tinkler's cuddie took the strunts
   An' deil an inch would steer;
His hurdies tholed baith skelps an' dunts,
His lugs were deeved by sic affronts
   It scunnered him to hear.
      But he kicked an' flang
      An' wouldna gang,
   Was ever beast sae sweer ?

The tinkler was an angry man,
   An' ill could thole defeat;
He banged the brute wi' pot an' pan,
He thocht on ilka cruel plan—
   For, O, revenge is sweet,
      His brats o' weans,
      They pu'ed the reins.
   His wife was like to greet.

Auld, hirplin' tinkler granny said,
   " That's no' the wey ava,
He'll no' be driven or be led,
This tirrivee that's ta'en oor Ned,
   It whiles comes ower us a'.
      Nae licks or dunts
      Can cure the strunts
   When brutes or buddies thraw."

Fornenst his neb a carrot held,
   Syne garred the cuddie gang;
His thrawn, rebellious he'rt was quelled,
The offerin' o' peace he smelled,

Nor could resist it lang.
Kindness is aye
The better wey
When beasts or folk gang wrang

THE SPATE

ENDRICK WATTER is ragin' wide,
  Roon the brig ye can hear it blatter.
Horse an' man ha'e behoved to bide,
  Glowerin' there at the gurly watter.
Nane but a fule would mount an' ride:
A'body waits for time an' tide.

Endrick Watter is roarin' great.
  (Shepherd rin, for your flock's in danger.)
Ricks an' stacks they ha'e ta'en the gate,
  Cairried yont to a far-aff stranger.
Auld wives ca' it the haun' o' Fate:
Fermers ken it's a back-end spate.

Dinna staun' in a feckless swither,
  Kep the kye frae the fludit haugh!
Haud the sheep on the braes thegither!
  Endrick Watter's as wide's a loch.
Deil be in't, but it's fashious weather!
It's ill to tyne what ye've toiled to gether.

THE DREAM HOOSE

We biggit a hoose, ma love an' I,
    Wi' never a fash ava,
We biggit it oot o' the dreams we dreamed,
    An' buskit it fine an' braw;
An' we thocht to bide in oor ain dear beild,
    Whaur love would be king o' a'—
But I steekit the door o' that hoose lang syne,
    An' cast the key awa'.

Stravaigin' here, an' stravaigin' there,
    Whaur never a hame-fire gleams,
I've socht the key o' that steekit door
    By glens, an' hills an' streams.
An' there's mony a beild I've seen sin' syne
    That richer an' grander seems—
But O! to win back to oor ain wee hoose,
    That we biggit o' love an' dreams.

THE KIBBOCK

There stood a kibbock in a press,
  A cheese, by mice an' men forgotten,
An atmosphere o' foostiness
  Garred ony neb jalouse 'twas rotten;
An' on its crust at sicna rate
Sma' life begued to germinate.

The mawks an' mites that hotched there rife
  Amang theirsel's gey aft debated
Aboot the origin o' life,
  An' when an' why they were created.
" This cheese has stood for aye," said yin,
" An' still shall staun till time is dune."

" Wha made us ?—juist the Laws o' Natur',"
  Anither mite, wi' holy zeal,
Cried, " Haud yer wheesht!—a great Creator
  Has planned oor bonnie cheese sae weel.
Hoo can yer sceptic he'rt deny him,
Wha pit us here to glorify him ? "

"Hoots!" cried the first. "Ye've tint yer gumption'
  We mites control an' rule this cheese;
Yer great Creator's an assumption;
  Faith's juist a bowsterin' up o' lees.
I haud this truth—but dinna brag o't—
There's naething higher than a maggot."

Wi' that the collieshangie stertit,
  To Faith some lippened, some to Reason,
An' mites, wi' dogmas fair pervertit,
  Thocht heresies were waur than treason.
Britherly love was syne forgotten;
An' aye the kibbock gat mair rotten.

Their warld a' tapselteerie turned,
　Its wee inhabitants at strife
Aboot a thing they've ne'er yet learned:
　The meaning an' the end o' life—
Men, in their various degrees,
Are gey like maggots in a cheese.

Nevertheless, aspire, aspire!
　Aye speir for knowledge, dinna rest;
A spunk o' the celestial fire
　Lowes bravely in ilk human breast.
Queer gates to Truth may whiles be trod,
But ilka yin draws nearer God.

FEAR AND PAIN

Man questions like a speerin' wean
The mysteries o' Fear an' Pain.
" Why should we thole ? " we ask o' God,
" The paiks o' Thy afflictin' rod ? "
God answers, " Lippen thou to Me.
The haun' that loveth chasteneth thee."

There's things oot-bye the thochts o' men
That we puir mortals dinna ken.
We walk the fields, and there we see
Beauty outraged by crueltie;
The lintie sings his wee bit sang,
The rabbits rin the whins amang,
But He wha sees the corbies fed
Hath made the whittrock and the gled,
Ilk cratur preys on fellow-cratur,
Relentless are the laws o' Natur'.

Man questions like a speerin' wean
The awesome mystery o' Pain;
Yet finds, through a' this tangle wove,
The greater mystery o' Love.
Wha kens on whatna birlin' star
We'll see things richtly as they are ?
And things oot-bye the thochts o' men
Some day we'll ken.

THE LAIRD

I saw the laird come doon the brae,
  A big, lang man wi' hirplin' gait—
He's gettin' frailer ilka day,
  I've seen an odds on him o' late—
He stoppit by the stack-yaird dyke,
  Whaur my man John was thrang at wark,
An' there they crackit, freenly-like,
  Till gloamin' cam' an it was dark.

Puir, feckless laird, I ken gey weel,
  He ne'er jaloused that it was wrang,
But whaur's the gumption o' the chiel
  To taigle folk when they are thrang?
His ain affairs, I hear folk tell,
  Are a' reel-rall. The man's disjaskit,
He does his factorin' himsel'
  An' brings doon rents gin ony ask it.

He dauners whiles as far's the manse,
  Or ower the muir to shoot for game,
But some bit scart he got in France
  Has made him sweer to jaunt frae hame.
He doesna dress himsel' in braws—
  He whiles forgets his gentle bluid—
A bunnet that would fricht the craws,
  A kilt that's near as auld's the flude.

He should hae ta'en a wife lang syne,
  Some leddy wi' a hantle siller;
There's ae bit lass, we ken her fine,
  They say he's pit the question till her.

But wha could thole a man like yon ?—
The lass juist keeps him on the swither.

*   *   *   *   *

But dinna say't to my man John,
Him an' the laird saw France thegither.

THE ROBIN AND THE LINTIE

A ROBIN-RID-BRIEST through the snaw
    Gaed scartin' wi' his wee bit bill,
But scrimpest bite ne'er won ava,
    Sae happit on the winda-sill;
An' keekin' through the winda-pane
    A lintie in a cage he saw:
" Oh, lintie, lintie, fine ye feed,
    Fu' blythely may ye sing awa'."

The lintie gied his heid a thraw,
    He heard the chappin' on the pane,
The robin on the sill he saw,
    An' oh! for freedom he was fain.
" Oh, robin, robin, I maun thole
    My prison while ye flee awa'."
     *   *   *   *   *

It's aye oor neebours that hae luck,
The feck o' folk are like thae twa.

THE OCTOGENARIAN IN THE AEROPLANE

They've gien the propeller a birl;
  Like a muircock that's leavin' the grun',
We're awa' wi' a whirr an' a whirl—
  Wha tell't me that fleein' was fun ?
We're up! This is something uncanny,
  The warld's gane reel-rall an' a' squint.
Haud on, no' sae fast there, ma mannie!
  Wae's me! but ma wame's left ahint.

I'll juist haud ma wheesht an' say naething,
  An' never let on that I'm feared:
I ettled to try their new plaything,
  An' noo I maun een dree ma weird.
I micht hae had mair mense an' gumption,
  Guid kens I'm no wantin' to fa'!
In the sicht o' the Lord it's presumption!
  Losh me! hoo the fields scud awa'.

I've gotten mair spunk noo I'm thinkin',
  I'll tak' a bit keek ower the side;
Oh, michty! the hooses are shrinkin',
  We're fleein' awa' doon the Clyde.
We'll dunt on Goatfell in a meenute,
  We'll breenge on the side o' the Ben!
Faith! na, for the pilot has seen it,
  Thae callans are skilly, ye ken.

They're turnin' us roon.   Sic a whummle !
  They're hurlin' us hame, I jalouse.
I hope we can land an' no' tum'le,
  I'm no juist ta'en on wi' this cruise.

We're doon again safe, Guid be thankit!
  Would I try it the morn again? Fegs!
Thank heeven I am still soople shankit,
  An' can stump aboot fine on twa legs.

COULD BURNS KEEK DOON

Could Burns keek doon frae yon tap storey,
Whaur noo he bides in heevenly glory,
An' see us a', the young, the hoary,
    Better nae whit,
He'd speak a word admonitory,
    To shame us yet.

Guidsakes! but it would gar him glower
To see mankind in this black hour,
When, yae war feenished, ilka power
    Ower mair war swithers;
For man to man the wide warld ower
    Are no' yet brithers.

" It's comin' yet "—I doot na' still,
But man, puir man, whiles plays the fule,
An' neebours tak' the strunts until
    Their gumption gangs,
Their birse gets up, an' then they'd kill
    To richt their wrangs.

Oh! Rab, ye were a prophet wyse,
Had we but ta'en thy guid advice
Earth micht hae been like Paradise
    This hunner years,
Nor best laid schemes o' men an' mice
    Dissolved in tears.

At hame, gin ye oor fauts would scan
(As, Rab, I dinna doot ye can),
" Man's inhumanity to man "
    Still gars us grue,
An' ca's the feet frae ilka plan
    To help things through.

Auld Scotland's gaun frae haun to mooth,
The wark has gane awa' doon sooth—
To look for't noo, in very truth
     Some folk are sweir—
We're smitten wi' a kin' o' drooth
     This mony a year.

But, Rab, thy smeddum we inherit,
Scotland has still gat men o' spirit,
Wi' spunk we yet shall prove oor merit
     An' warstle through.
Scotland's no' deid until she's buried!
     Be Scotsmen true.

YULE IN EXILE

At the hinner-en' o' the dwinin' year,
It's queer, man, queer,
Ma thochts aye turn to a lanely glen
I used to ken.

Does the bracken glint like a gowden flame
On the hills o' hame?
Does the whaup still wheel, wi' his waefu' cry,
On the braes oot-bye?

I seem to see the auld bare hill
Whaur the mist hings still;
An' the peesweep's cry is aye the same:
Come hame! come hame!

There's nane to ken me on that hillside
Whaur the deer noo bide;
Only the wraiths that haunt the glen—
They'd ken, they'd ken.

THE FLITTIN'

THE wife next door is flittin', did ye ken?
  Keek canny through the curtain, Bell, an' see;
A larry's at the door wi' twa-three men.
Can a' that gear come oot a but-an'-ben?
  Look at her kist-o'-drawers, it's awfu' wee.

Her plenishin's gey trashy-like an' tashed,
  Yon sofa doesna match her horse-hair chairs—
The buddie's auld, an' canna weel be fashed.
Thae feckless chiels'll get her cheeny smashed—
  Whatna stramash was that noo on the stairs?

I wunner whaur the auld yin's gaun to bide,
  She's leeved alane here mony a year, I ken.
We never speak, I canna thole sic pride.
Losh! there's a cradle they ha'e brocht ootside—
  An' a' her weans lang syne are muckle men.

Why folk should keep sic things I canna tell.
  The flittin's aff noo, trailin' doon the street,
Ach! puir auld wifie, there she is hersel';
She maun be wae to gang; keep back noo, Bell,
  She wouldna like that folk should see her greet.

METHUSELAH

I WHILES think on yon chiel lang syne,
Methuselah, ye ken him fine.
A healthy, hardy chap, thinks I,
A' smittle troubles passed him by.
O' hoasts an' touts he had nae fears;
He leeved for near a thoosand years.
His name a by-word's cam' to be
For dour auld folk that winna dee.
But doctors noo-a-days mak' siccar
Folk dwine awa' a wee thing quicker;
For lives o' sic ower-lang dimensions
Would ca' the feet frae Auld Age Pensions.

Methuselah, I dinna doot,
Saw mony a generation oot.
Had I a veteran like him been
A hantle queer things I'd hae seen.
I micht hae seen the Pict an' Scot
Fecht to the daith for deil kens what;
Or heard the rumour gang abroad:
Macbeth's pit Duncan oot the road;
Or seen the Norsemen in their pride
Come sailin' up the Firth o' Clyde,
Reivin' until they raised the dander
O' mettlesome King Alexander.
I micht hae dune a sodger's turn
Wi' royal Bruce at Bannockburn;
Or seen King James, ower thrawn to yield,
Fa' 'mang the brave on Flodden Field.

An' in my prime I micht hae heard
The dour John Knox expound the word;

Or tocht dragoons at grim Drumclog,
An' drave them plowterin' through the bog.
To Prestonpans or dark Culloden
I micht hae marched wi' fell forbodin';
But what thae wars were a' aboot
It's little I'd hae kent, nae doot,
But muckle wae, an' muckle wrang
I'd seen gin I had leeved sae lang;
For man through ilka generation
Strives for his ain extermination.
An' that's a thocht micht weel bamboozle a
Puir man like me, or auld Methuselah.

THE AULD WIFE

Snaw on the ben,
  The win' blaws dourly an' snell frae the cauldrife
    east;
Bare is the glen,
  Noo into byre or bield they hae brocht ilk beast.
Thrang are the men
  Plooin' the rigs while they can, for frost comes
    neist.

Shepherds hae ta'en
  Sheep frae the heich hillside to the haugh or
    fauld.
Autumn has gane,
  Winter is comin'; winter's hard on the auld:
Blashes o' rain,
  Snawdrifts to warstle through in the dark an'
    cauld.

In the kirk-yaird,
  Smoored wi' the leaves that fa' at the end o' the
    year,
My auld man's laired,
  Happit awa' this day; an' I've drapped nae tear:
Weel has he fared—
  Nae mair winters to thole, nae frost to fear.

THE BALLAD OF
CHRISTOPHER COLUMBUS

CHRISTOPHER COLUMBUS was the baur o' a' the toon,
He'd threep richt doon yer thrapple that the warld
    was roon.
Folk said, "Hoots! ye're haverin', it's flat's a griddle
    scone."
An' jokit to their neebours: " He's a daft man
    yon."
Christopher, a sailor guid as ever sklimt a mast,
Swore he'd win to India by sailin' to the Wast;
Said that he would prove it gin they'd fit him oot a
    ship,
But nane would pey the siller for the gyte man's trip.
Christopher gaed jauntin' till he reached the Coort o'
    Spain.
Sayin': " I'll get credit ony country but my ain."
There he found King Ferdinand, a geyan canny
    fella.
Wha said: " Yer story soonds a' richt, but tell
    Queen Isabella."
Sic an argy-bargyin' the threesome had thegither,
Bella she was willin', but the King was in a swither;
Till some great hidalgo—that's Spanish for " big
    bug "—
Gied a canny whisper meant to reach the royal lug:—
" A freen o' this Columbus first discoverit Iona,
His forebears hae been sailors sin' the lang syne days
    o' Jonah."
Sae wi' this to recommend him, an' to mak a lang
    tale short,
They gied him twa-three ships an' sent him sailin'
    frae the port.

Awa' went bold Columbus, while a guid breeze sped
    him fast,
To chase the sunset's glory doon the never-endin'
    Wast.
An' folk said: "Thrawn auld gomerill, we'll see
    nae mair his face;
He'll sail richt ower the warld's edge, an' cowp to
    doom through space."

At first the crews were biddable, an' wrocht wi' a'
    their micht,
But when the days were trailin' oot an' naething cam'
    in sicht,
Then some gat sweert, an' some gat feart, an' didna
    think it shame
To cry: "Let's turn the ship aboot, an' pint her
    neb for hame."
Dour Christopher juist glunched at them, an' peyed
    nae heed ava,
But: "I'm for sailin' on," thinks he, "as lang's
    the win'll blaw."
Syne days went by, an' girnin' men forgethered in
    the prow,
An' said: "Wha'll tak a marlinspike an' dunt the
    skipper's pow?"
Then storms arose, an' a' the crew maun battle for
    their lives,
An' as they reefed the sails they grat to think on
    weans an' wives.
"Pit back!" they cried to him, "Pit back! we've a'
    gane wude wi' fear."
But: "Haud yer wheesht," Columbus said, "ye'll
    ken wha's maister here."

When thunner rattled ower their heids, an' fiercer
    blew the blast,
He grupped the helm himsel' an' steered the guid
    ship Wast, aye Wast.

The lang loan tak's a turn at last, an' everything cam'
    richt,
A sailor speeled the mast yae day, an' shoutit:
    "Land in sicht!"
Columbus gat his telescope, an' stood as in a spell,
Then haundit roon the gless an' said: "Juist tak'
    a keek yersel'."
An' land it was, a braw new land that nane had seen
    afore,
Wi' twa-three scuddy savages dumfoonert on the
    shore,
Puir heathen chiels that ne'er had learnt the use o'
    sarks an' collars,
An' didna ken that gowd was meant for turnin' into
    dollars.

An' syne Columbus gaed ashore an' raised the flag o'
    Spain;
The thowless Indians never thocht to say, "This
    land's oor ain."
The reivin' rovers were na blate to gether spulzie in,
An' spiled the heathen richt an' left, as Christians
    whiles hae dune,
Syne Christopher brocht safely hame a cargo fine an'
    fat
O' parrots, gowd, an' precious stanes an' orra things
    like that.

But days when Europeans cam' to plunder an' to
  burn
Are noo avenged, America's discovered us in turn.
For history repeats itsel', ye'll ken wi'oot this rhyme
That America has altered in the whirligig o' Time.
Their manners an' their music, an' a language o' their
  ain
They hae plantit upon Europe to avenge that flag o'
  Spain.
Columbus was a hero, an' America is braw,
But I whiles think it's a peety he discovered it ava.

SHEPHERDS

Yestreen as I gaed ower the brae
I spied the shepherd, auld and gray;
He held a yowe atween his knees,
Sair fashed, puir thing, wi' maggot-flees.
I daunered ower to hae a crack.
He doctered weel the beastie's back,
Then said: " A smittle thing the mawk,
Yae flee contaminates a flock."

" *Contaminates !* " And in a blink
My thochts back forty years did jink.
Again a boy, a' blushes ower,
I face the dominie's fell glower.
As ower some kittle verb I pause;
Frae coat-tail pooch he whisks the tawse:
" Yae gowk contaminates the schule;
Haud oot yer haun', ye feckless fule! "

THE WEE THEEKIT HOOSE

There's a wee theekit hoose that I dream o' at nicht,
    It lies 'mang the hills that I ken;
An' whiles when I'm waefu' I'm fain for a sicht
    O' that wee theekit hoose in the glen.

The peat-stack fornenst it's as muckle's the hoose,
    It's only a but-an'-a-ben;
But I mind on the folk wha are canty an' croose
    In that wee theekit hoose in the glen.

The croft is but sma', an' the hills are gey bare,
    An' whiles it's but scrimply they fen' ;
But it's hame, oh, it's hame, an' the auld folk are
      there,
    In that wee theekit hoose in the glen.

CLEGS

Lang syne the Lord created Man
Accordin' to His weel-thocht plan,
An' beasts, an' birds, an' creepin' things
That hap aboot on legs or wings;
But jealous Nick, to show his mettle,
Thocht some creation he maun ettle,
An' did his best—or warst, for, fegs!
It was the Deil created clegs.

Wha but the Deil would ever plan
A plague like yon for beast or man?
As quate as draps o' dew the clegs
Clap doon upon your haun's or legs;
They stab, they sook—'twould gar ye yelp;
Awa' they flee ere ye can skelp.
They'd drain ye to the very dregs
Gin they'd their will o't, clarty clegs!

What gars auld Dobbin 'mang the nowt
Caper an' fling as skeich 's a cowt?
What gars the kye their tails keep whiskin'?"
The clegs are roon aboot them friskin'.
The simmer days are lown an' lang,
An' lad an' lass stravaigin' gang;
But through the rashes an' the seggs
They daurna gang for fear o' clegs.

Yae cleg-bite's bad, but twa's unlucky,
The mair ye scart the mair it's yeuckie;
An' whiles a sting on neb or cheek
May beal an' gowp for hauf a week.

Mair soople than the active flea,
Mair venomous than wasp or bee,
Chief o' a' pests wi' wings an' legs,
Maist scunnersome o' insects—clegs!

THE STORM

The thun'er rummles lood ower-heid,
    The rain comes skelpin' doon ;
Oh ! blythe may be the folk indeed
    That bide weel-hoosed in toon.
The win' upon the winnock blads,
    An' blashes 'mang the trees ;
Wae's me for a' the fisher lads
    That trauchle on the seas !

The street is like a burn in spate,
    The skies are lowerin' dour ;
The very craws ha'e ta'en the gate
    To skug the angry sho'er.
The lichtnin' flichers ower the ben
    As it would rive the rocks ;
Ochone ! for shepherds in the glen
    That tend the hillside flocks !

SANDY MACPHUN

Sandy MacPhun is no' daft a'thegither,
    The chiel has a want, an' is doited a wee ;
Fate brocht him to earth in a kind o' a swither :
    A genius, wi' wisdom an' wits gane agee.
He's famous for by-words, mair quoted than Latin,
    That hit the mark clean like a shot frae a gun :
When her leddyship waddled to kirk in green satin,
    " A braw bird, the puddock ! " said Sandy
        MacPhun.

Sandy's no' kent to miss funerals often,
    He's aye to the fore when refreshments gang roon;
They say that he yince raised his glass to the coffin,
    Said : " Here's yer guid health, sir," an' gulped
        the dram doon.
He's aye in guid fettle, nae prank e'er displeased him,
    He's seen at his bauldest when ither folk run,
When the tiger brak' lowse frae the circus an' seized
        him :
    " Whase cat has had kittlins ? " speered Sandy
        MacPhun.

THE TEN COMMANDMENTS

When yon chiel Moses speeled the ben
Lang syne for the Commandments ten,
He brocht them doon to Sinai's plain
Engraven on a book o' stane.
But carven letters canna last,
Rain, stour an' time maun fade them fast,
The very stane will wear awa'——
Yet Moses still lays doon the law.
As bairns at skule we used to ken
The auld, weel-learned Commandments ten ;
Though whiles a bittock we forget,
We ettle aye to keep them yet.

I.

The first commandment on the stane :
Lippen to God, an' God alane.

II.

Thou shalt na to fause idols trust :
Glory an' gowd are less than dust.

III.

Ye mauna sweer, or use an aith :
Profanity ne'er proved man's faith.

IV.

Remember aye the Sabbath day ;
Gar nane to wark that ye may play.

V.

Honour thy faither an' thy mither,
An' God shall gie thy days lang tether.

VI.

Thou shalt na kill.   Devall frae strife:
Man mauna tak', what God gies, life.

VII.

Dinna haud licht the marriage vow,
Nor tak' a wanton love in tow.

VIII.

Thou shalt na steal, be't great or sma'.
(The warst rogues hide ahint the law.)

IX.

Dinna tell lees that shame the deevil.
(But wee bit whids whiles keep folk ceevi

X.

An' covet na thy neebour's ass,
His stirk, his wife or servant-lass.

These are the auld commandments ten
As bairns at skule we used to ken ;
But each succeeding generation
Gies them their ain interpretation.

POEMS IN ENGLISH

UP THE LINE TO POELKAPELLE

Heavy loaded, heavy hearted,
  Up the line to Poelkapelle,
As we trudged we passed a dozen
  Soldiers lying as they fell:
Sprawling in the slime grotesquely,
Left like carrion to rot—
    (*Long, long way to Tipperary*——)
No one seemed to care a jot!

Transport-waggons splashed upon them,
  Laden limbers clattered by;
Some who saw them vaguely wondered
  When their turn would come to die.
Patient pack-mules plodded past them—
Blast the beasts! why can't they trot?—
    (*Long, long way to Tipperary*——)
No one seemed to care a jot!

Soldier's wife, or soldier's mother,
  Any nation, north or south,
Could you see your loved one lying
  With the mud upon his mouth,
Such a cry would rise to heaven
God would know you cared a lot—
    (*Long, long way to Tipperary*——)
Surely God must care a jot!

THE WANDERER

I WILL return again to the hills that were once my
    prison,
  The hills that shut me in from the great wide
    world so free;
I shall feel the calm of the night in the glen when the
    moon has risen
  And it shines, like a pale white ghost, on the pools
    of Dee.

I will return again to the hills of my early dreaming,
  The hills I trod in grief when my feet would be
    faring forth,
Till I took the road at last, in my youth and my pride
    not deeming
  That I left the half of my heart back there in the
    north.

I put the brogues on my feet and the bundle over
    my shoulder;
  I whistled a piper's tune as I took the mountain
    track;
And the hills looked down and seemed to say to me:
    " You'll be older
  And you'll be wiser, too—and you'll come back."

And it's true; for the roads lead far where garish
    lights are thronging,
  And the sound of the city comes like the surge on
    a wintry shore,
And I pause at times in the crowd and think with a
    sudden longing:
  " Oh, to be back in the peace of the glen once
    more! "

I will return again to the hills that were once my
    prison;
  The sheltering pines shall whisper their benison to
    me.
I shall feel the calm of the night in the glen when
    the moon has risen
  And it shines, like a pale white ghost, on the pools
    of Dee.

RIZZIO

Not his the fame that's won by warrior's powers,
  Talents he had, and pride in servitude;
He sang the songs of sunnier lands than ours,
  Sang to a queen of old in Holyrood.

Did he aspire, poor menial—to what end ?
  To win a smile, perchance, but not a crown.
He died, whom royal tears could not defend,
  And dying gained what shall not die, renown.

Ignoble ending to his song and dream!
  Thou hast our meed of pity, hapless stranger;
Like the bedazzled moth, thou did'st not deem
  That in the flame of candles there was danger.

Should thy pale ghost, in ghastly disarray,
  Return to haunt these corridors hereafter.
Flit hence to Kirk o' Field and Fotheringay,
  Laugh there with kindred ghosts thy hollow
    laughter.

BOTHWELLHAUGH

Spur, spur and spare not: vengeance follows!
Does clattering steel fling echoes back,
Or are these hoof-beats in the hollows
The swift pursuers on thy track?

Moray is dead: his dogs are baying,
    Hounds that would rend his slayer's throat.
To-morrow gloat upon his slaying:
    Gallop to-day, that ye may gloat.

Ride like the wind! Afar from danger,
    Thou may'st find refuge o'er the flood.
Vengeance is wreaked: the new avenger
    Clamours behind thee: "Blood for blood!"

Speed ye then, speed! Thy tired steed fails thee,
    Urge him the faster to serve thy will.
Thou durst not pray, for the word assails thee:
    "Vengeance is mine—Thou shalt not kill."

Ha! here's a leap, or the doom foreboded!
    Spur fails, then dagger! Well leapt, dead horse!
You knew not the spurs that thy master goaded,
    The sting of Hate, and the asp, Remorse.

ARMAMENTS

WAR-RENT, we hear again the beaten drum,
Too oft, these days, the rattling of the sabre
Disturbs with bodeful thoughts of war to come.
Who heeds the edict: Thou shalt love thy
    neighbour?
What shall it profit man if all his labour
Goes down in dust ? The oracles are dumb.
God help the land whose leaders prate of Peace
And arm the while to awe by field and flood!
The menace of piled Armaments must cease.
We Scots know well how swiftly stirs the blood,
How, at the first low mutterings of strife,
An atavistic instinct, born of yore,
Wakes, and our tribal forebears spring to life,
And unregenerate cry: " Claymore! Claymore!"

GLOSSARY